NOUVELLES

Histoires drôles

Illustration de la couverture :
Philippe Germain

Nouvelles Histoires drôles nº 35
Illustration de la couverture : Philippe Germain
Conception graphique de la couverture : Michel Têtu

Dépôts légaux : 1er trimestre 2001
Bibliothèque nationale du Québec
Bibliothèque nationale du Canada

ISBN : 2-7625-1362-6
Imprimé au Canada

Les éditions Héritage inc.
300, rue Arran
Saint-Lambert (Québec) J4R 1K5
Téléphone : (514) 875-0327
Télécopieur : (450) 672-5448
Courriel : info@editionsheritage.com

À tous ceux
qui aiment bien rigoler !

Deux nigauds garagistes travaillent. L'un regarde l'autre qui est sous un véhicule avec un appareil photo et lui demande :

— Qu'est-ce que tu fais ?

L'autre lui répond :

— Bien quoi, je fais la pose de pneus !

•

Un nigaud arrive chez le docteur et lui dit :

— Oh là docteur ! J'ai terriblement mal à l'œil gauche.

— Comment vous êtes-vous fait ça ?

Le nigaud lui répond :

— Je ne comprends pas, je bois tranquillement mon café et soudainement, je ressens une violente douleur dans l'œil gauche.

— C'est vraiment bizarre, je ne vois pas, dit le docteur. Allez-y, buvez un café devant moi et on verra bien.

Le pauvre nigaud s'exécute et puis se lamente :

— Ouille, vous voyez bien docteur!

Le docteur lui répond:

— Je vous conseille simplement d'enlever la cuillère de la tasse quand vous buvez!

•

Qu'est-ce qui est vert et qui devient rouge quand on appuie sur un bouton?

Une grenouille dans un mélangeur.

•

C'est un nigaud qui, pendant la nuit, tombe de son lit, se lève, et retombe en se recouchant. Il se dit:

— Une chance que je me suis levé la première fois, sinon je me serais tombé dessus!

•

Un Français, un Anglais et un nigaud se promènent en avion. Rendu en haut de son pays, le Français jette une pièce en disant:

— C'est ma contribution pour mon pays!

Et ils continuent à se promener. Rendu au-dessus du pays de l'Anglais, celui-ci jette une pièce en disant:

— C'est ma contribution pour mon pays!

Ils se promènent encore jusqu'à ce qu'ils arrivent au pays du nigaud qui jette alors un billet de vingt dollars en bas de l'avion en disant la même chose que les autres. Le Français et l'Anglais le regardent bizarrement en lui demandant pourquoi il a jeté tant d'argent en bas. Le nigaud leur répond:

— Bien quoi, j'attends ma monnaie!

•

Un nigaud va dans une station service et demande au pompiste le plein de jus de tomates. Le pompiste surpris lui demande pourquoi. Le nigaud lui répond alors:

— C'est parce que j'ai un moteur V8.

•

Deux nigauds sont sur la route dans un camion de quatre mètres de hauteur. Ils s'approchent d'un tunnel où il est indiqué « Hauteur libre : trois mètres ». Les deux nigauds s'arrêtent et regarde autour, puis l'un dit à l'autre :

— C'est beau, tu peux y aller, il n'y a pas de policiers en vue.

•

Pourquoi est-ce que tous les propriétaires de Lada se saluent lorsqu'ils se rencontrent l'après-midi ?

Parce qu'ils se sont vus le matin au garage.

•

Un nigaud revient de la chasse au canard et rencontre un gars. Il lui dit :

— Si tu devines combien de canards il y a dans mon sac, je te les donne tous les cinq.

•

Comment trouver des pièces pour sa Lada ?

En en suivant une autre.

•

Un bon matin, un nigaud est assis sur son perron, et il voit un camion rempli de tourbe passer dans la rue. Il se dit alors :

— Ah ! Moi aussi, quand j'aurai de l'argent, je ferai tondre ma pelouse ailleurs.

•

À quoi sert le dégivrage sur une Lada ?

À ne pas se geler les mains quand on la pousse.

•

Combien faut-il de personnes pour construire une Lada ?

Quatre : deux qui la plient et deux autres qui la collent.

•

Comment doubler la valeur d'une Lada ?

En faisant le plein.

•

Comment appelle-t-on une Lada avec un toit ouvrant ?

Une poubelle.

•

L'autre jour, j'étais très en colère lorsque j'ai croisé deux employés de la ville. Le premier pelletait un gros trou et le deuxième le remplissait avec de la terre. Alors, je leur demande :

— Qu'est-ce que vous faites ? On vous paie pour ça !

L'un des deux gars me répond :

— Ce n'est pas de notre faute : habituellement nous sommes trois pour faire ce travail, mais aujourd'hui il manque celui qui met les arbres.

•

Devant une maison, on a installé des pancartes « Attention au chien ». Un passant proteste :

— Mais il est tout petit ton chien, il ne mordra jamais personne, pourquoi toutes ces pancartes ?

— C'est pour que personne ne marche dessus, lui répond le propriétaire.

•

Pourquoi les anges ne dorment-ils pas ?

Parce que Jésus crie (Jésus Christ).

•

Pourquoi les hublots de bateaux sont-ils ronds ?

Pour ne pas recevoir l'eau carré dans la face.

•

Comment appelle-t-on une tomate avec une cape?

Une « Super Tomate ».

•

Comment un éléphant fait-il pour descendre d'un arbre?

Il s'assit sur une feuille et il attend l'automne.

•

Qu'est-ce qui est rouge et qui est carré?

Un carré rouge.

•

Deux grains de sable dans le désert. L'un dit à l'autre:

— Heille, je pense qu'on est suivi.

•

Qu'est-ce qui est petit, qui fait « coin coin » et qui est vert ?

Un « petit coin coin vert ».

•

Deux toasts sont dans un grille-pain et l'un dit à l'autre :

— Dis donc, ça commence à sentir le brûlé ici !

Et l'autre s'écrie horrifié :

— Aaahhh ! Un toast qui parle !

•

Un jour, un professeur demande à ses élèves de lui apporter tous leurs vieux calendriers. Un de ses élèves lui demande :

— Pourquoi des calendriers ?

Le professeur répond alors :

— J'ai promis à ma femme de lui faire des carrés aux dattes (dates).

•

Qu'est-ce qui est transparent et qui sent la banane ?

Un pet de singe.

•

Comment appelle-t-on une chauve-souris qui a des cheveux?

Une souris.

•

Un laboratoire de recherche médicale en neurochirurgie a recruté deux volontaires pour des examens et des essais sur le cerveau. Un nigaud et un Québécois se sont présentés. Les médecins commencent à ouvrir le crâne du Québécois et voient un tas de micropuces, relais câbles microphone, oui, vraiment quelque chose d'ultra-moderne. Les chercheurs voulaient commencer à séparer des câbles pour étudier un peu, et ils se sont dit que ce serait trop sophistiqué tout ça, et ils ont préféré refermer le crâne. Ensuite, ils commencent à ouvrir le crâne du nigaud, et ils voient un seul câble à l'intérieur, qui va de gauche à droite et rien d'autre. Après de longues discussions, les chercheurs ont décidé de couper le câble au milieu pour voir la réaction du nigaud. Après avoir coupé le câble, les deux oreilles sont tombées par terre.

•

Une fille part en vacances en voiture. Elle désire voir la capitale du Canada. Alors, elle emprunte la route transcanadienne. Après trois jours, elle est à un kilomètre de sa destination lorsqu'elle aperçoit un panneau à sa droite indiquant clairement « OTTAWA-LEFT ». Se retournant vers sa compagne, elle dit :

— Bof, ce n'est pas grave, on reviendra l'an prochain, il va sûrement être de retour !

•

Un nigaud, qui vient pour la première fois à Montréal, tombe en admiration devant un gratte-ciel. Le gardien de l'immeuble décide de rigoler un peu et lui dit :

— Monsieur, c'est interdit de regarder cette tour. Je dois vous infliger une amende. C'est dix dollars par étage. Quel étage regardiez-vous avec autant d'attention ?

— Le cinquième !

— Cinq fois dix. Vous me devez cinquante dollars.

Le nigaud lui remet cinquante dollars. Rentré chez lui, il raconte l'histoire :

— Ils sont quand même naïfs ces Québécois, parce que je regardais le dix-huitième étage !

•

Deux nigauds décident d'aller à la chasse à l'ours. Il vont s'acheter permis, fusil, etc. Le lendemain, ils partent à la chasse et sortent du camion tous les deux fusil à la main. Après dix minutes de marche, un ours se présente juste devant eux ; il monte sur ses deux pattes arrières et se met à gronder. Un des deux nigauds a assez la frousse qu'il tire sur l'autre. Celui-ci tombe par terre et hurle de douleur. Celui qui a tiré demande au blessé ce qu'il doit faire ! Il lui répond :

— Tire-lui dans le genou ! Ça fait mal en maudit !

•

Des nigauds visitent le musée du Louvre et tombent en admiration devant une momie égyptienne, entourée de bandelettes.

— Que veut dire 1564 AVJC ? demande l'un d'eux.

— Oh ! répond l'autre, c'est sans doute le numéro d'immatriculation de la voiture qui l'a renversée !

•

Pourquoi n'y a-t-il pas de fantômes lorsqu'un nigaud meurt ?

Parce qu'on n'a jamais vu un nigaud avoir de l'esprit.

•

Quelle est la différence entre un lavabo bouché et un nigaud ?

Pour le lavabo, au moins, il y a des plombiers.

•

Le petit asticot demande à sa maman :

— Maman, où est papa ?

— Il est allé pêcher, mon petit.

•

Une maman nigaude à son enfant :

— Tu as mis ta culotte à l'envers. Je te l'ai déjà dit, le jaune devant et le brun derrière.

•

Pourquoi les nigauds vont-ils à la messe avec une éponge ?

Pour laver (l'Ave) Maria.

•

En pleine campagne, un type passe en voiture juste au moment où un coq décide de traverser le chemin. Évidemment, PAF, le coq meurt déchiqueté par la voiture. Le conducteur désolé s'arrête et récupère ce qu'il reste du pauvre volatile. Il va trouver le fermier pour lui demander pardon et voir s'il peut faire un geste. Il lui dit alors :

— Vraiment navré, j'ai malencontreusement écrasé votre coq. Permettez-moi de le remplacer.

Le paysan :

— Allez-y ! Les poules sont dans la grange au fond du jardin.

•

Deux nigauds sont à la chasse aux lapins. L'un dit à l'autre :

— Ce n'est pas facile d'attirer le lapin. Le plus dur, c'est de se cacher dans les buissons et d'imiter le cri de la carotte.

•

Un petit ours polaire demande à sa mère :

— Maman, suis-je un vrai ours polaire ?

La maman :

— Évidemment que tu es un vrai ours polaire mon petit ! Ton papa et moi sommes de vrais ours polaires, donc tu es aussi un vrai ours polaire mon petit !

Le petit ours, pas très rassuré, va voir son père et lui pose la même question. Son papa ours lui répond alors :

— Mais oui, tu es un vrai ours polaire. Ta maman et moi sommes des vrais ours polaires, donc tu es aussi un vrai ours polaire mon petit !

Le petit ours polaire, toujours inquiet, va voir son grand-père et lui pose la même question. Le grand-père ours polaire lui répond :

— Mais oui, petit nigaud, tu es un petit ours polaire puisque ta grand-mère, moi et nos enfants sont des vrais ours polaires ! Pourquoi me poses-tu cette question ?

Le petit ours polaire :

— Bien, parce que j'ai froid !

•

Un automobiliste tombe en panne sur une route en pleine campagne. Il s'arrête, ouvre le capot de sa voiture et commence à l'inspecter. Arrive alors une vache qui lui dit :

— Je parie que ce sont les bougies ! (Et oui, les vaches parlent de nos jours. C'est ça le progrès).

Évidemment choqué, l'automobiliste s'en va trouver le fermier et lui dit :

— Votre vache vient de parler et elle m'a dit que la panne provenait des bougies !

Alors, le fermier répond :

— Ne l'écoutez pas, elle n'y connaît rien aux bagnoles.

•

Pourquoi les éléphants n'ont-ils pas d'ordinateurs ?

Parce qu'ils ont peur de la souris !

•

Une vente aux enchères a lieu. On vend un perroquet. Cent dollars ! Cent dollars ! Deux cents dollars ! Quatre cents dollars ! Mille dollars ! Qui dit mieux ? Deux mille dollars ! Quatre mille dollars ! Cinq mille dollars ! Dix mille dollars ! Vingt-cinq mille dollars ! Quarante mille dollars ! Quarante et un mille dollars ! Le type qui désirait à tout prix le perroquet s'adresse au commissaire-priseur :

— Dites-moi, à ce prix là, j'espère qu'il parle au moins !

Et là, le perroquet lui répond :

— Eh imbécile ! D'après toi, qui a fait monter les enchères comme ça ?

•

Alors, cet examen ? demande papa kangourou à sa fille qui rentre de l'école.

— Pas de problème, c'est dans la poche !

•

— Bonjour, avez-vous amené au zoo le pingouin que vous avez trouvé dans la rue ?

— Oui, il a bien aimé, mais aujourd'hui on va au cinéma.

•

Comment appelle-t-on les petits d'une oie ?

Les noisettes.

•

Deux grenouilles se parlent. Il y en a une qui dit :

— Quoi quoi quoi !

L'autre répond :

— On ne dit pas quoi, on dit comment !

•

Émilie dit à son père :

— Nos voisins doivent être très pauvres. Ils font toute une histoire parce que leur bébé a avalé une pièce de un cent !

•

— Il faut être bon avec les animaux, explique le papa de Julien.

— Oui papa, il ne faut pas les traiter comme des bêtes.

•

— Le pape est mort! Un nouveau pape est appelé à régner!

— Araignée? Quel drôle de nom! Pourquoi pas libellule ou papillon?

•

— Monsieur, savez-vous que votre chien aboie toute la nuit?

— Oh, ça ne fait rien, il dort toute la journée!

•

Nicolas, mets cette phrase à l'impératif:

— Le cheval tire la charrette.

— C'est facile, répond Nicolas, Hue!

•

Le mari araignée demande à sa femme :

— Qu'as-tu fait pour le dîner ?

— Une mouche au chocolat.

•

Quel est l'animal le plus heureux ?

C'est le hibou, parce que sa femme est chouette.

•

Quel est l'animal qui mange avec sa queue ?

Tous. Aucun n'enlève sa queue pour manger.

•

Quel est l'insecte qui arrive toujours le premier à la course ?

Le pou, parce qu'il est toujours en tête !

•

Un chameau dit à un dromadaire :

— Comment ça va ?

— Bien, je bosse, et toi ?

— Je bosse, je bosse !

•

Un éléphant et une souris sont au bord d'un lac gelé. L'éléphant hésite à s'élancer. Gentiment, la souris propose :

— Je vais y aller en premier pour voir si la glace tient le coup.

•

Une maman kangourou dit à une autre :

— Pourvu qu'il fasse beau. Je n'aime pas laisser les enfants jouer à l'intérieur.

•

Une mite rencontre une autre mite en train de rire. Elle demande :

— Pourquoi est-ce que tu te marres, mite ? (marmite)

— Parce que je suis une mite railleuse ! (mitrailleuse)

•

Une petite sardine regarde passer un sous-marin. Sa maman lui explique :

— Tu vois, ce sont des hommes en boîte.

•

Une petite souris demande à un gros éléphant qui prend son bain :

— Dis, tu veux bien sortir de l'eau ?

L'éléphant obéit. Alors, la petite souris lui dit :

— Ça va, j'ai cru que tu avais pris mon maillot.

•

Une poule rencontre une autre poule :

— Tu viens, lui dit-elle, on va prendre un ver (verre) ?

•

Un mouton rejoint un troupeau dont les brebis ont été tondues. Poli, il prévient :

— Excusez-moi, je ne suis pas encore rasé.

•

Un veau rencontre un autre veau et lui demande :

— Comment vas-tu ?

— De pis en pis !

•

Un voleur s'apprête à entrer dans une maison quand il voit un écriteau : « Attention perroquet méchant ! » Il rit, franchit la porte et entend le perroquet crier :

— Vas-y Rex, attaque.

•

— Docteur ! J'ai vu deux autres médecins, et pas un n'est d'accord avec votre diagnostic !

— On verra bien qui avait raison à l'autopsie !

•

Un type se présente à la pharmacie et demande au pharmacien :

— Bonjour, je voudrais de l'acide acétylsalicylique !

Le pharmacien cherche dans son dictionnaire des médicaments.

— Ah, vous voulez dire de l'aspirine !

— Bien oui, j'ai toujours eu de la difficulté à me rappeler du nom !

•

Chez le dentiste :

— Docteur, combien ça va me coûter pour me faire enlever cette dent ?

— Neuf cents dollars.

— Neuf cents dollars pour quelques minutes de travail ! Bien vous ne vous emmerdez pas dites donc !

— Je peux l'extraire très lentement si vous préférez.

•

Une femme va dans une pharmacie et achète pour cinquante dollars de produits amincissants. Elle demande au pharmacien :

— Vous pensez que je vais perdre combien avec ça ?

Le pharmacien répond alors :

— Bien, cinquante dollars !

•

Le vieux Maurice va à la ville pour emmener son chien malade chez le vétérinaire. Celui-ci lui demande :

— Il est tatoué (à toi) ce chien ?

Le vieux Maurice, vexé, lui répond (avec l'accent évidemment) :

— Bien sûr, à qui voulez-vous qu'il soit !

•

Un patient doit subir une intervention chirurgicale très lourde (triple pontage coronarien). Il est évidemment mort de peur. Son chirurgien qui s'en aperçoit décide de le rassurer avant l'anesthésie.

— Ne vous en faites pas, tout va très bien se passer. Regardez ma barbe (le chirurgien est barbu). Quand vous vous réveillerez, vous la retrouverez telle quelle.

Sur ce, un peu rassuré, le patient se laisse endormir en pensant à la barbe. À son réveil, le patient aperçoit, dès qu'il ouvre l'œil, une silhouette penchée sur lui. Et, il lui semble reconnaître une barbe ! Alors, il se rappelle ce que lui avait dit son chirurgien et, très content de s'être réveillé :

— Merci beaucoup docteur ! Je savais que je pouvais vous faire confiance. Je suis si heureux de retrouver cette barbe.

— Mais lâchez moi ! Je ne suis pas docteur, je suis saint Pierre !

•

Un type arrive aux urgences après un accident de voiture. Quand il se réveille, le chirurgien est à son chevet et lui dit :

— J'ai deux nouvelles à vous annoncer. Je commence par la mauvaise : j'ai dû vous amputer les deux jambes.

— ARGHHHH, et quelle est la bonne ?

— J'aime beaucoup vos chaussures, je vous en offre neuf cents dollars.

•

Un patient chez le docteur :

— Docteur, ce matin en me regardant dans le miroir, j'ai constaté que j'avais un œil différent de l'autre !

Le docteur :

— Bizarre, dites-moi, lequel est-ce ?

•

Docteur, j'ai les dents jaunies !

— Portez une cravate marron, ça vous ira bien !

•

Un ophtalmologiste (un spécialiste des yeux) installe son client devant un tableau recouvert de lettres de grosseur décroissante.

— Pouvez-vous lire ceci ? lui demande-t-il en désignant une ligne où est inscrit : BERIFHREGHERGH.

— Bien sûr ! dit le patient, je suis Polonais !

•

Le chirurgien prend des nouvelles des patients qu'il a opérés récemment. En arrivant dans la chambre d'un gars qu'il a opéré du cœur la veille, il demande :

— Alors comment ça va ?

— Oh, docteur, j'ai un mal de chien ! C'est atroce.

Essayant de montrer un peu de compassion, le docteur répond :

— Oui, je sais combien c'est douloureux. J'ai subi la même opération il y a quelques années.

Mais le patient pas du tout rassuré lui répond :

— Peut-être, mais il y a quand même une différence de taille ; ce n'était pas le même chirurgien qui vous a opéré.

•

L'enseignante vient de lire à ses jeunes élèves la fable de La Fontaine, *Le lièvre et la tortue*.

— Quelqu'un a-t-il une question à me poser ? demande-t-elle.

Le fils d'un parieur enragé lève la main.

— Moi, madame. Au départ de la course, à combien la tortue était-elle cotée, que je calcule le rapport de probabilité ?

•

Un père se fâche après son jeune fils.

— Mais enfin, qu'est-ce que je dois faire pour que tu cesses, une bonne fois, de jouer avec les allumettes ?

— Je ne sais pas, moi, répond le gamin. Peut-être m'acheter un briquet.

•

Un banquier allemand voit son fils allumer une cigarette avec un billet de cent dollars enflammé. Le père fronce les sourcils et s'écrie :

— Combien de fois t'ai-je dit que tu étais beaucoup trop jeune pour fumer ?

•

L'entraîneur d'une équipe d'athlétisme explique ainsi aux membres du club pourquoi ils doivent s'abstenir de fumer.

— Prenez exemple sur les locomotives. Elles ont commencé à aller très vite le jour où elles ont cessé de fumer.

•

— Mon mari, raconte une dame à une amie, m'ennuyait beaucoup en fumant deux paquets de cigarettes par jour, dont il m'envoyait la fumée dans le nez.

— Et c'est fini ?

— Enfin, il a cessé de fumer, mais il lui a fallu trouver un autre moyen pour occuper ses lèvres inactives. Et maintenant, il me rend complètement folle en jouant de la cornemuse.

•

— Ça ne te pèse pas trop d'avoir complètement cessé de fumer ? demande un monsieur à un ami.

— Pas du tout ! En fait, je n'y pense même plus.

— Et ça fait combien de temps que tu n'as pas grillé une cigarette ?

— Deux ans, trois mois, huit jours, sept heures et vingt-quatre minutes.

•

Une dame a écouté avec intérêt le baratin d'un courtier venu lui proposer d'assurer sa villa contre l'incendie.

— Si vous étiez malin, lui dit-elle, vous donneriez en prime un petit cadeau. Je ne sais pas, moi : une boîte d'allumettes ou un beau briquet.

•

Mon mari, dit une dame à une voisine, est une véritable tête sans cervelle. D'une minute à l'autre, il oublie tout. Ainsi, je viens de l'envoyer à l'épicerie me chercher du sel. Je vous parie que lorsqu'il reviendra, il n'aura absolument pas pensé à acheter du sel. Cinq minutes plus tard, le mari arrive en courant et tout essoufflé.

— Oh, ma chérie, dit-il, c'est formidable ! J'ai fait vérifier mon billet de loto au dépanneur. Nous avons les six numéros gagnants. On remporte la grosse cagnotte de dix millions de dollars ! Hourra !

Sa femme lance un clin d'œil à sa

voisine et demande sèchement à son mari :

— Et, naturellement, tu as oublié le sel !

•

Un homme vêtu d'un bel habit noir vient acheter son billet pour la loto à la veille du tirage d'une super-cagnotte de quinze millions de dollars.

— Je parierais, dit l'employé du guichet, en introduisant le billet dans l'ordinateur, que si jamais vous gagnez une somme pareille, votre premier geste lundi matin sera d'appeler votre patron pour lui dire qu'il peut aller au diable !

— Ce serait culotté de ma part : je suis curé.

•

Un jeune homme cherche du travail. Il se présente dans une entreprise et on lui dit :

— On vous embauche au salaire

minimum au début, mais vous pourrez gagner davantage plus tard.

— Dans ce cas, répond le gars, je préfère revenir à ce moment-là.

•

Un chef d'entreprise convoque l'un de ses collaborateurs. Rouge de colère, il explose :

— J'ai appris qu'hier, dimanche, vous êtes allé à la messe et que vous avez prié pour obtenir une augmentation ! Sachez-le bien mon ami : j'ai horreur que quelqu'un essaie de passer au-dessus de ma tête quand on veut quelque chose.

•

Un radin est en train de décoller le papier peint de son salon. Le voisin de palier s'étonne :

— Vous aller poser un nouveau papier ?

— Non ! On déménage !

•

Deux pères discutent de l'avenir de leurs enfants respectifs.

— Mon fils, dit le premier, est un brillant intellectuel. C'est bien simple, chaque fois qu'il nous écrit, je dois ouvrir le dictionnaire.

— Moi c'est pareil, avoue son copain. Chaque fois que notre fils nous écrit, je dois ouvrir mon chéquier!

•

Moi, je vends mon premier livre: *Comment je suis devenu millionnaire en dix heures*. Mon second est actuellement en préparation: *Mes dix ans de prison*!

•

Deux amis discutent!

— Sais-tu que je suis une personne très chanceuse!

— Ah oui? Pourquoi?

— Je suis né le septième jour, du septième mois soixante-dix-sept.

— Le sept doit être ton chiffre chanceux, alors ?

— Exactement. D'ailleurs, je suis allé aux courses la semaine dernière. J'ai parié sept mille dollars sur le septième cheval dans la septième course.

— Et puis ?

— Il a fini septième !

•

Un mendiant interpelle un certain Émile Girard qui vient de lui donner un dollar :

— Il y a deux ans, vous m'avez donné dix dollars et l'an dernier, cinq.

— Il y a deux ans, mon ami, j'étais célibataire, répond l'homme. L'an dernier, je me suis marié et cette année j'ai un enfant.

— Quoi ? Vous vous servez de mon argent pour faire vivre votre famille ?

•

Quelle est la définition d'un comptable ?

C'est quelqu'un qui résout un problème que vous ne pensiez pas avoir, d'une manière que vous ne comprenez pas.

•

Toc ! Toc ! Toc !

— Qui est là ?

— Jus.

— Jus qui ?

Julien le pas fin.

•

Toc ! Toc ! Toc !

— Qui est là ?

— Simon.

— Simon qui ?

— Si mon frère n'est pas gentil, il n'aura pas son cadeau à Noël.

•

— Quelle heure est-il quand ton sandwich se sauve sous la table ?

— Je ne sais pas.

— L'heure de changer de restaurant.

•

Joseph : Jean-Paul, si tu avais deux jeux de société, est-ce que tu m'en donnerais un ?

Jean-Paul : Bien sûr.

Joseph : Et si tu avais deux bicyclettes, est-ce que tu m'en donnerais une ?

Jean-Paul : Oui, mais pourquoi me poses-tu ces questions ?

Joseph : Bien, tu as deux livres de *Lucky Luke*, est-ce que tu m'en donnes un ?

Jean-Paul : Il n'en est pas question. Il y a une différence entre dire qu'on donnerait et de donner pour vrai.

•

Anne et Philippe sont partis en voyage tôt ce matin. Après avoir parcouru une demi-journée en voiture, Philippe s'exclame :

— Ah non!

— Qu'est-ce qu'il y a? demande Anne.

— Je savais que j'oublierais quelque chose.

— Qu'as-tu oublié ? demande-t-elle.

— Euh! J'ai oublié ce que j'avais oublié.

•

— Sais-tu que ma mère fait le meilleur gâteau au chocolat au monde?

— Peux-tu me le prouver?

— Facile, regarde dans le tiroir des ustensiles, les fourchettes se battent entre elles pour en avoir.

•

Dans un magasin, Julie remarque les foulards en soie.

— Combien coûte celui-ci? demande Julie au vendeur.

— Cinquante dollars.

— Quoi? C'est aussi cher qu'une

paire de pantalon.

— Peut-être, répond le vendeur, mais vous auriez l'air ridicule avec un pantalon autour du cou.

•

Toc ! Toc ! Toc !

— Qui est là ?

— Emma.

— Emma qui ?

Emma (Elle m'a) dit qu'elle m'aiderait à faire mes devoirs.

•

Sandra : Qu'est-ce qui est blanc, noir, blanc, noir, blanc, noir ?

Nicolas : Je ne sais pas.

Sandra : Un biscuit *Oréo* qui roule dans l'escalier.

•

Durant le cour d'arts plastiques, les élèves doivent faire un dessin où l'on retrouve un animal. Cinq minutes plus tard, Sylvie remet son dessin au professeur.

— Tu as déjà fini ton dessin. Mais tout ce qu'il y a sur ta feuille, ce sont quelques points noirs au milieu. Qu'est-ce que c'est ?

— Un cirque.

— Un cirque, cela n'a rien à voir avec un cirque, je ne vois aucun animal sur ton dessin.

— Je sais bien, mais c'est un cirque de puces.

•

Toc ! Toc ! Toc !

— Qui est là ?

— G.

— G qui ?

G (J'ai) oublié mon parapluie, et il pleut dehors.

•

Toc ! Toc ! Toc !

— Qui est là ?

— Mon nez.

— Mon nez qui ?
— Mon nez fronté (effronté).

•

Toc ! Toc ! Toc !
— Qui est là ?
— Écart.
— Écart qui ?
— Écarté dans le bois.

•

— Sais-tu la différence entre un cours d'école et un désert ?
— Je ne sais pas.
— Aucune, les deux sont longs et plats.

•

— Qu'est-ce qui pousse avec une seule jambe et un chapeau ?
— Je ne sais pas.
— Un champignon, bien sûr.

•

Le professeur de science : Qui peut me nommer un liquide qui ne gèle pas ?

L'élève le plus stupide lève sa main. Le professeur étonné décide de le faire répondre.

Le professeur : Antoine, tu crois connaître la réponse ?

Antoine : Bien sûr. C'est l'eau chaude.

•

Steve : Connais-tu la blague sur les nuages ?

Émilie : Non.

Steve : Elle est juste au-dessus de ta tête.

•

Deux enfants discutent :

— Je crois que notre voisine a de graves problèmes de santé.

— Comment ça ?

— J'ai entendu papa dire qu'elle avait le cœur sur la main.

•

Josée : Les gens intelligents ont toujours des doutes. Il y a juste les nigauds qui sont toujours sûrs d'eux-mêmes.

Line : Es-tu certaine ?

Josée : Absolument certaine, pourquoi ?

•

La mère de Pauline va voir le médecin.

— Ma fille est dans un état critique. Elle n'a plus de forces, elle ne veut plus parler au téléphone et ne veut plus manger. Que dois-je faire ? C'est très inquiétant.

— Bof ! Ce n'est rien, madame. Donnez-lui, quatre fois par jour, une cuillère de ce sirop.

— Ça sent bien mauvais.

— Ce n'est rien, le goût est plus horrible.

— Êtes-vous certain que ça va la guérir ?

— Le jour où elle aura assez de force pour se plaindre et lancer la bouteille dans la poubelle, vous saurez qu'elle est guérie.

•

— Pour chasser le canard, mon oncle m'a donné un truc incroyable.

— Ah oui, lequel?

— Tu te caches derrière un arbre et tu imites le cri de l'orange (canard à l'orange).

•

Louise : Maman, est-ce que c'est toi qui a construit la maison ?

Maman : Non Louise, ce n'est pas maman.

Louise : Est-ce que c'est papa ?

Maman : Non Louise, ce n'est pas papa. On l'a achetée.

Louise : Hein ? Ça dû prendre une énorme boîte pour la transporter jusqu'ici.

•

— Que fait un électricien dans une rivière ?

— Je ne sais pas.

— Il se tient au courant.

•

Sophie : Anne, sais-tu quelle est la meilleure chose à faire avant une douche ?

Anne : Je ne sais pas.

Sophie : Se déshabiller.

•

Le professeur : Claude as-tu changé l'eau des poissons, hier soir ?

Claude : Non, j'ai tout laissé comme ça. Ils n'avaient pas fini l'eau que j'avais donnée la semaine passée.

•

Deux amoureux timides se fréquentent depuis quinze ans. Un beau matin la fille ne peut plus résister, et elle dit à son prétendant :

— Oscar, ne croyez-vous pas qu'il serait temps de songer à nous marier ?

— Je veux bien, répond-il pensivement, mais qui voudra de nous ?

•

Au restaurant, le garçon récapitule :

— Nous disions donc : pâté en croûte, langouste, truffes, foie gras. Et avec ça, qu'est-ce que monsieur prendra ?

Alors, son épouse répond :

— Du ventre, certainement.

•

Un conducteur demande à un pompiste :

— Après avoir fait le plein, pouvez-vous vérifier les pneus ?

Le pompiste remplit le réservoir, puis fait le tour du véhicule :

— Un, deux, trois, quatre. Vous pouvez y aller sans risque, il sont tous là !

•

Au restaurant, le client consulte la carte et appelle le serveur :

— Je vois, dans les « Spécialités maison », poulet à la Mercedes.

Qu'est-ce que c'est exactement ?

— Un volatile que le patron a écrasé ce matin !

•

Un gars a ramené chez lui un perroquet qu'il a acheté, et il l'a simplement déposé dans la cuisine. Le soir, quand il rentre, sa femme lui dit :

— C'est gentil de m'avoir apporté cette drôle de volaille ce midi. Je l'ai préparée en suivant la recette du coq au vin ! On va se régaler.

— Hein ! hurle le type. Mais tu es folle ! C'est un perroquet que j'ai payé deux mille dollars ! Un perroquet qui parle !

— Ah ! Il parle ? Bien pourtant, il ne m'a rien dit.

•

Un brave monsieur qui habite au fond de l'Auvergne passe une commande de papier hygiénique à un grand magasin spécialisé dans la vente par correspondance.

— Allô ! Pouvez-vous m'envoyer 50 rouleaux de papier hygiénique ?

— Quelle référence monsieur ?

— Mais je ne sais pas moi !

— Consultez notre catalogue !

— Écoutez-moi bien mademoiselle, si j'avais votre catalogue sous la main je n'aurais pas besoin de commander du papier hygiénique !

•

Une cantatrice, qui revient du Japon, en rencontre une autre qui ne la porte pas particulièrement dans son cœur, et qui lui dit :

— Avant d'entreprendre ma tournée en Extrême-Orient, j'ai fait assurer ma voix pour un million de dollars !

— Ah oui! Et qu'avez-vous fait de tout cet argent?

•

Joséphine: Connais-tu le pire malheur qui peut arriver à un chat?

Claudette: Je ne sais pas.

Joséphine: Avoir un appétit d'oiseau.

•

André: Quel est le comble pour un chat?

Marco: Je ne sais pas.

André: Avoir une cervelle de moineau.

•

— Pourquoi les monstres ne mettent-ils jamais deux fois le même costume?

— Parce que la mode a changé entre leur vivant et leur mort.

•

— Sais-tu quelle idée se font les enfants quand il s'agit de donner un coup de main à la maison ?

— Je ne sais pas.

— Laisser traîner les jouets, ne pas manger ce qu'il y a dans son assiette et surtout se coucher le plus tard possible.

— Pourquoi ?

— Ils aident leurs parents à ne pas s'ennuyer.

•

Toc ! Toc ! Toc !

— Qui est là ?

— Range.

— Range qui ?

Range tes jouets.

•

Deux mamans fantômes se rencontrent dans la rue :

— Bonjour madame. Heu ! Je ne veux pas être indiscrète, mais vous avez l'air plissé ce matin.

— Ne m'en parlez pas, j'ai oublié de mettre une feuille d'assouplissant quand je me suis séchée ce matin.

•

— Quel est le pire malheur pour un mouton ?

— Je ne sais pas.

— Avoir un appétit de loup.

•

— Connais-tu la différence entre du café et de l'huile à moteur ?

— Non, je ne sais pas.

— En tout cas, je n'irais pas boire un café chez vous.

•

Un nigaud visite Montréal pour la première fois. Il visite pendant des heures et des heures. Soudain, il commence à avoir soif et s'arrête devant un stand.

Le nigaud regarde le commis et dit :

Je voudrais bien boire un grand verre de votre meilleur breuvage.

Le commis le regarde et ajoute : Vous êtes un touriste, n'est-ce pas ?

— Oui, dit le nigaud gêné.

— Cela paraît, parce que je vends juste de la crème glacée.

•

Toc ! Toc ! Toc !

— Qui est là ?

— Lecar.

— Lecar qui ?

Lecar naval (le carnaval) est en ville depuis dimanche.

•

Antoine : Quel est la différence entre une fraise et une voiture conduite par un élève au volant ?

Justin : Je ne sais pas.

Antoine : Il n'y en a pas, les deux se rencontrent dans le champ.

•

— Que dit le hibou quand il crie? Hou! Hou! Hou!

— Et que dit le hibou quand il se noie?

— Je ne sais pas.

— Higlou! Higlou! Higlou!

•

Toc! Toc! Toc!

— Qui est là?

— Do.

— Do qui?

Do ré mi fa sol...

•

Toc! Toc! Toc!

— Qui est là?

— Vermine.

— Vermine qui?

Les vermine nuscule (verres minuscules) pour boire du cola sont ridicules.

•

Deux amis attendent depuis plus de 15 minutes dans une file d'attente. L'un d'eux, agacé d'attendre se dirige vers le comptoir à billet pour le cinéma.

— Pardon madame, est-ce que ça va être long avant de se faire servir?

— Désolée, on attend la remplaçante du responsable du guichet. Seulement elle peut ouvrir la caisse.

— Savez-vous à quelle heure elle va arriver?

— Aucune idée, désolée.

Il retourne dans la file et discute avec son ami lorsque quelqu'un les interrompt.

— Je suis désolée de vous déranger, mais vous allez sûrement attendre encore très longtemps, dit une petite femme derrière eux.

— Et pourquoi donc?

— Je suis la remplaçante, et j'ai toujours détesté les personnes qui passent devant les autres dans une file d'attente.

•

— Quelle est la différence entre une tête et les pieds ?

— Je ne sais pas.

— Un corps de différence.

•

Pauline : Connais-tu la différence entre sang et cent ?

Jules : Je ne sais pas.

Pauline : Il n'y en a pas, parce que quand tu as un accident à cent, il y a du sang.

•

Sur une route de campagne, un automobiliste est arrêté par un homme qui se dirige vers lui en courant :

— Pardon, monsieur, han... han... dit-il à bout de souffle, vous n'auriez pas croisé, han... han... un camion rempli de cochons ?

— Quoi, vous en êtes tombé ?

•

Une enseignante a demandé aux enfants de faire un devoir sur la façon dont naissent les enfants. Toto rentre à la maison et demande à sa mère :

— Maman ! Comment suis-je né ?

La mère, troublée, répond :

— Euh, c'est la cigogne qui t'a amené jusque chez nous !

— Vraiment ? dit Toto. Et comment papa est-il né ?

— Euhh, eh bien, c'est la cigogne qui l'a amené lui aussi !

— Et grand-père et grand-mère alors ?

— C'était la cigogne aussi pour eux, Toto ! Et maintenant, laisse-moi travailler, je dois préparer le repas !

Le lendemain, Toto donne son devoir à la maîtresse. Elle lit le travail de Toto : « Impossible de faire un devoir sur la façon dont naissent les enfants, car dans la famille il n'y a pas eu de naissance naturelle depuis trois générations. »

•

Une maîtresse d'école et son élève discutent. L'enfant demande :

— Madame, madame, est-ce que je peux être puni pour quelque chose que je n'ai pas fait ?

La maîtresse répond aussitôt :

— Mais bien sûr que non, on ne va pas te punir pour quelque chose que tu n'as pas fait !

L'enfant, soulagé, rétorque :

— Eh bien, ça va alors. Je n'ai pas fait mes devoirs hier !

•

Il est écrit dans la Bible qu'Adam était l'homme le plus heureux au monde et que jamais un autre homme ne sera aussi heureux que lui. Or, des scientifiques ont entrepris une recherche exhaustive afin de déterminer la source d'un tel bonheur. Cette recherche devait durer plusieurs mois, mais elle s'arrêta net après quelques heures seulement. La raison est bien simple : Un des scientifiques s'est aperçu qu'Adam n'avait pas de belle-mère.

•

En rentrant du travail le soir à la maison, le jeune papa est accueilli par son épouse, radieuse :

— Chéri, c'est merveilleux ! Notre bébé a dit son premier mot aujourd'hui !

— Ah oui ? répond le mari. C'est super, ça ! Qu'est-ce qu'il a dit ?

— Tu vas être content, il a dit PAPA !

— Vraiment ? C'est mignon comme tout ! Ça c'est passé quand ?

— Tout à l'heure quand on était au zoo devant la cage du gorille !

•

Un jeune garçon et une jeune fille sur le point de se marier meurent tous les deux dans un accident de voiture. Arrivés au paradis, ils demandent à saint Pierre s'il est possible de se marier. Saint Pierre réfléchit et dit :

— Ça peut se faire, mais vous devrez attendre un certain temps.

Une centaine d'années plus tard, un prêtre va les voir et propose de les marier. Ils acceptent avec joie. Les années passent, et les choses ne vont plus aussi bien entre eux. Ils retournent donc voir saint Pierre et demandent :

— Excusez-nous, saint Pierre, nous avons pensé à tort que nous serions heureux pour l'éternité. Est-il possible de divorcer ?

Saint Pierre répond aussitôt :

— Vous voulez rire ? Ça m'a pris cent ans pour vous trouver un prêtre ici au paradis. Comment voulez-vous que je vous trouve un avocat ? Il n'y en a jamais un qui est entré ici !

•

Un gars arrive au ciel. Saint Pierre lui demande ce qui lui est arrivé. L'homme répond :

— J'étais en voyage en train de traverser un pont suspendu au-dessus d'une rivière infestée d'alligators. Soudain, le pont a cédé. Heureusement, tout le monde a réussi à s'agripper à la rampe. Cependant, nous étions trop nombreux et la rampe menaçait de céder à son tour. Le guide nous a dit alors que quelqu'un devrait se sacrifier et sauter pour nous alléger un peu et ainsi sauver les autres de la tragédie. Alors, un homme s'est laissé tomber dans la rivière.

Saint Pierre répond alors :

— D'accord, mais que faites-vous ici si ce n'est pas vous qui vous êtes sacrifié ?

— Ah, ça, c'est parce que le guide nous a dit qu'un homme aussi courageux méritait des applaudissements.

•

Un homme se casse un bras dans un bête accident. Il va immédiatement chez le docteur et lui demande :

— Docteur, qu'est-ce que je vais faire ? Je ne pourrai plus travailler !

Le docteur lui dit :

— Ne vous en faites pas. Je vais vous mettre le bras dans le plâtre et dans deux semaines tout sera correct.

Deux semaines plus tard, l'homme revient voir le docteur et lui demande :

— Docteur, est-ce que je peux recommencer à travailler normalement ?

— Oui, répond le docteur.

— Est-ce que je peux conduire mon auto normalement ?

— Oui, répond le docteur.

— Est-ce que je peux nager normalement ?

— Oui, répond le docteur.

— Vraiment ? Je vais pouvoir nager comme un poisson dans l'eau ?

— Oui, oui ! dit le docteur.

— Ça c'est bien alors ! Je n'ai jamais su nager !

•

Un pharmacien a engagé un assistant. Il doit s'absenter quelques instants. Il dit alors à son assistant :

— Si un client vous demande quelque chose d'ordinaire, servez-le, et si c'est plus spécifique, demandez-lui d'attendre ou de revenir.

Quinze minutes après, le pharmacien revient et demande :

— Alors, est-ce qu'il y a eu des clients ?

— Un seul client. Il voulait du sirop contre la toux, je l'ai donc servi.

— Et lequel avez-vous donné ?

— Bien, la préparation magistrale, là.

— Ah non ! Vous lui avez donné un laxatif super puissant ! Allez vite, courez après lui et ramenez-le, on va voir ce qu'on peut faire !

L'assistant revient peu après, essoufflé, mais sans le client. Le pharmacien demande :

— Alors, vous l'avez trouvé ?

— Oui, bonne nouvelle, il ne tousse plus !

Le pharmacien, intrigué, poursuit :

— Comment ça, il ne tousse plus ?

Ça n'a pas de lien, c'est un laxatif!

— Puisque je vous dis qu'il ne tousse plus. Il n'ose plus!

•

Une enseignante demande à un gamin:

— Où est le travail que tu devais faire à la maison?

Le gamin répond:

— C'est mon chien qui l'a mangé, madame.

L'institutrice, n'en croyant pas un mot, réplique:

— Mon petit bonhomme, ça fait plus de dix ans que je suis institutrice. Tu penses vraiment que tu vas me faire avaler ça?

— Mais puisque je vous le dis, madame! Ça a pris du temps, mais il a fini par tout manger!

•

Voulant s'impressionner l'un et l'autre, nos deux amis commandent des piments réputés pour leur goût puissant. La commande arrive et le premier croque dans le piment et des larmes se mettent à couler. L'autre se bidonne et dit :

— Je savais bien que c'était trop fort pour toi !

Trop orgueilleux pour l'avouer, il dit :

— Ah, je ne pleure pas à cause des piments, c'est que je viens de penser à mon grand-père qui est décédé.

Le deuxième croque alors à son tour dans son piment et lui aussi se met à pleurer. Le premier gars se met à rire et dit :

— Tiens, c'est trop fort pour toi ?

L'autre, encore plus orgueilleux, répond :

— Tu sais, ton grand-père, je le connaissais bien !

•

Un mari n'oublie jamais l'anniversaire de sa femme. Elle en est très heureuse, mais lui est déçu car à chaque année, elle court au magasin pour échanger son cadeau. Mal à l'aise, il décide d'en parler avec la meilleure amie de sa femme :

— À chaque année c'est pareil, je lui offre un cadeau et elle va l'échanger. Est-ce que tu pourrais lui en parler pour moi ?

L'amie accepte. Un peu plus tard, il se reparlent et le mari demande :

— Alors, est-ce que tu lui en as parlé ?

— Oui, et elle s'excuse. Le prochain cadeau que tu vas lui offrir, elle a promis de ne pas le changer.

— Parfait, dans ce cas, je vais lui faire un chèque !

•

À l'école, un gamin ne comprend pas les mathématiques. L'institutrice essaie de lui faire comprendre grâce à des exemples :

— Regarde. Si tu plonges ta main

dans la poche droite de ton pantalon et que tu trouves un dollar, puis que tu plonges ta main gauche dans la poche de gauche et que tu trouves un autre dollar, qu'est-ce que tu auras?

— Le pantalon de quelqu'un d'autre, madame!

•

Deux amis marchent dans les bois quand tout à coup un ours sort et se braque devant eux. Les hommes paniquent et un des deux jette son sac à dos par terre, enlève ses souliers de marche en vitesse et sort ses souliers de course. Il tente frénétiquement d'attacher ses lacets quand l'autre lui dit:

— Veux-tu bien me dire ce que tu fais? Tu ne crois quand même pas être capable de battre un ours à la course!

— Je n'ai pas besoin de battre l'ours, j'ai juste besoin de te battre toi!

•

Chez le médecin :

— Quels sont vos symptômes, monsieur ?

— Eh bien, hier soir en me couchant, j'ai commencé à avoir très froid. Mes mains et mes pieds étaient glacés, je tremblais de partout !

— Et vos dents claquaient ?

— Euh ! Je ne sais pas, j'avais enlevé mon dentier !

•

Deux hommes discutent :

— Près de chez moi, il y a de la construction qui va finir par me rendre fou !

— Comment ça ?

— Avec tous ces dynamitages, les camions et les marteaux-pilons, je ne peux plus dormir le matin !

— Mais que sont-ils en train de construire ?

— Un centre de recherche sur la pollution par le bruit !

•

Deux copains font un pique-nique dans un champ à la campagne. Soudain, un oiseau passe au-dessus d'eux et laisse tomber un « petit cadeau » sur le lunch d'un des copains.

— Oh non ! Mon sandwich !

— Tu vois, répond son ami, c'est dans ces moments-là que je suis vraiment content que les vaches ne volent pas !

•

Deux nigauds se racontent des blagues :

— Qu'est-ce qui est mouillé, transparent et qui tombe du ciel ?

— La pluie.

— Ah, tu la connaissais ?

•

— Comme je n'arrêtais pas de parler, mon prof m'a envoyé chez le directeur.

— Pauvre toi ! Tu dois te sentir mal ?

— Au contraire, je me sens soulagé !

— Comment ça ?

— Le directeur n'était pas à son bureau !

•

— Le salaud, il m'a fait pleurer !

— Qui ça ? Dis-moi qui c'est, je vais aller lui parler !

— L'oignon que j'ai mis dans ma sauce à spaghetti !

•

Toc ! Toc ! Toc !

— Qui est là ?

— G.

— G qui ?

— G (J'ai) bien envie de te chatouiller !

•

Louis : Je n'aurai plus jamais de contraventions !

Monique : Tu as enfin décidé de conduire de façon raisonnable ?

Louis : Non, j'ai enlevé mes essuie-glaces !

•

Aux Jeux olympiques d'hiver, un patineur de vitesse gagne une course avec une bonne longueur d'avance sur tous les autres. Il est parti en trombe et a patiné comme une fusée ! À l'arrivée, on pouvait l'entendre crier :

— Quel est l'imbécile qui a mis de la poudre à gratter dans ma combinaison ?

•

— Mon chien est tellement paresseux que ses puces doivent se gratter elles-mêmes.

•

L'arrière-grand-père : Quand j'étais petit, nous étions très pauvres à la maison. Vous savez, je n'avais pas toujours quelque chose à me mettre sous la dent.

Véronique : Ah non ? Et maintenant, papi ?

L'arrière-grand-père : Ah ! Maintenant, à mon âge, je n'ai plus de dents à me mettre sur quelque chose.

•

Deux escargots grimpent sur un mur très abrupte. Arrivé en haut, le premier dit à l'autre :

— Hé bien, on en a bavé...

•

Deux types se promènent en montgolfière. Le brouillard tombant de plus en plus, ils finissent par descendre jusqu'à atterrir dans un champ. Aucune indication leur permet de savoir où ils se trouvent. Oh, joie ! Ils voient arriver un mec à bicyclette.

— Ohé mon brave, pourriez-vous nous dire où nous nous trouvons, s'il vous plaît ?

Le type réfléchit dix secondes et sort :

— Eh bien, vous êtes dans la nacelle d'une montgolfière qui vient d'atterrir dans un pré où d'habitude il y a des vaches de l'autre côté de la barrière qui marque la limite du pré et de la route sur laquelle je me trouve avec mon vélo à la main, pendant que je réponds à la question que vous m'avez posée.

— Aaaaaahhh ! dit l'un des deux voyageurs à l'autre. Tu vois, ça c'est un expert-comptable.

— Bien comment peux-tu le savoir ? dit l'autre.

— Pas difficile, c'est un type qui donne des informations extrêmement précises, mais complètement inutiles pour prendre une décision.

CONCOURS

Tu dois connaître, toi aussi, de courtes histoires drôles. Alors, pourquoi ne pas nous en faire parvenir quelques-unes ?

Parmi celles reçues, certaines seront retenues pour publication et l'auteur(e) recevra une surprise.

Participe le plus vite possible et envoie tes histoires drôles à :

CONCOURS HISTOIRES DRÔLES
Les éditions Héritage inc.
300, rue Arran
Saint-Lambert (Québec)
J4R 1K5

Nous avons hâte de te lire !

À très bientôt donc !

Achevé d'imprimer en avril 2001 sur les presses de
Payette & Simms inc. à Saint-Lambert (Québec)